獻給茉伊拉

妳閃亮的笑容跟獨特的真誠態度，讓世界變得更明亮。

妳帶給我的啟發，讓我超越了自己原本的極限。

我好愛、好愛妳。

爸爸～皮姆

我不敢說，我怕被罵 Een Buik Vol Geheimen

作　　者 / 皮姆·凡赫斯特 Pimm van Hest
繪　　者 / 妮可·塔斯瑪 Nynke Talsma
譯　　者 / 謝靜雯
總 編 輯 / 謝淑美 Carol Hsieh
責任編輯 / 黃秀錦 Emily Huang
美術編輯 / 吳侑珊 Phoebe Wu
校　　對 / 謝淑美 Carol Hsieh
　　　　　黃秀錦 Emily Huang

發 行 人 / 謝　祥
出 版 者 / 大穎文化事業股份有限公司
　　　　　（奧林文化事業有限公司關係企業）
地　　址 / 10597 台北市南京東路五段 38-1 號 11 樓
電　　話 / 886-2-2746-9169（代表號）
傳　　真 / 886-2-2746-9007
奧林·大穎讀享網 / http://www.olbook.com.tw
公司電子信箱 / alvita@olbook.com.tw
讀者服務信箱 / service@olbook.com.tw
劃撥帳號 / 19781392 大穎文化事業股份有限公司

總 經 銷 / 知己圖書股份有限公司
台北公司 / 10647 台北市大安區辛亥路一段 30 號 9 樓
電　　話 / 886-2-2367-2044
傳　　真 / 886-2-2363-5741
台中公司 / 40768 台中市西屯區工業區 30 路 1 號
電　　話 / 886-4-2359-5819
傳　　真 / 886-4-2359-5493

初版一刷 / 2014 年 05 月 新台幣 290 元

Een Buik Vol Geheimen
First published in Belgium and the Netherlands in 2013 by Clavis Uitgeverij, Hasselt-Amsterdam-New York.
Text and illustrations copyright © 2013 Clavis Uitgeverij, Hasselt-Amsterdam-New York.
This Complex Chinese translation Copyright arranged with Clavis Uitgeverij, Hasselt-Amsterdam-New York
through Color Art Agency, Ltd.
All rights reserved.
Complex Chinese translation copyright © 2014 by ALVITA PUBLISHING CO., LTD.,
a division of OLLIN PUBLISHING CO., LTD.

ISBN: 978-986-5925-40-6

Een Buik
Vol Geheimen

我不敢說，我怕被罵

文 / 皮姆・凡赫斯特（Pimm van Hest）
圖 / 妮可・塔斯瑪（Nynke Talsma）
譯 / 謝靜雯

 大穎文化事業股份有限公司　出版

我叫做茉伊拉。

我的爸爸媽媽是全世界最貼心的人了！

我們養了兩隻頑皮的小狗——蘇洛和史普林特。

我有點笨手笨腳，也有些調皮任性。

媽媽總是對我說：「沒關係。」

可是，我的笨手笨腳和調皮任性，

有時候也會讓我很傷腦筋，

尤其是我不想、或是不敢說實話的時候。

昨天就是這樣……

我在早上七點醒來，
我跳下床，把被子撥到一旁，
然後穿好衣服。
本來事情都很順利的，
後來我卻看到有條短短的線，
從褲襪上垂下來……

我輕輕拉了拉線，

越 ……… 變 ………

越_{ㄩㄝˋ} ...... 大_{ㄉㄚˋ} ......

竟_{ㄐㄧㄥˋ}然_{ㄖㄢˊ}拉_{ㄌㄚ}出_{ㄔㄨ}了_{ㄌㄜ}一_ㄧ個_{ㄍㄜ}小_{ㄒㄧㄠˇ}洞_{ㄉㄨㄥˋ}。

糟_{ㄗㄠ}糕_{ㄍㄠ}，怎_{ㄗㄣˇ}麼_{ㄇㄜ˙}辦_{ㄅㄢˋ}？

我趕緊換穿另一條新的褲襪，
把破掉的那條藏起來。
什麼都不要說，
有個小祕密也不錯。

「嘿，」媽媽說，
「妳換了一條褲襪啊！這條也滿好看的。」
我好想把褲襪破掉的事告訴媽媽，
那些話把我的喉嚨搔得癢癢的。
最後，我還是把那些話吞了下去。

啪啦！

那些話全都溜進了我的肚子裡。
我想它們在肚子裡很安全。

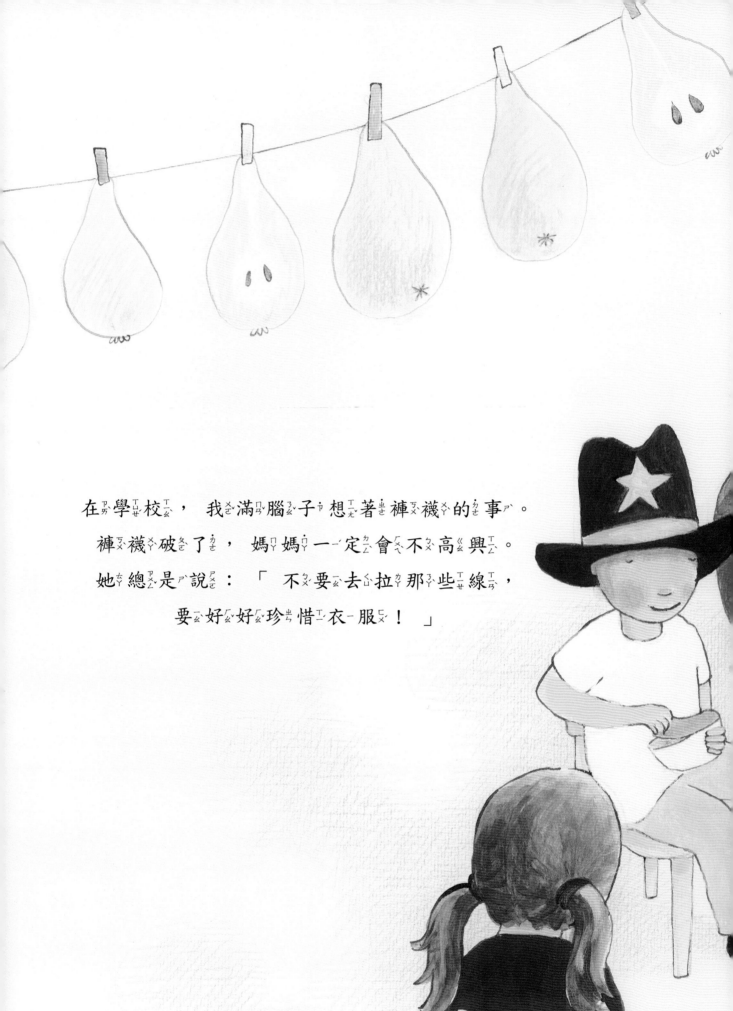

在學校，我滿腦子想著褲襪的事。
褲襪破了，媽媽一定會不高興。
她總是說：「不要去拉那些線，
要好好珍惜衣服！」

大家在教室裡吃水果的時候，
我覺得肚子癢癢的。
我的肚子不想吃梨子，我自己也不想，
於是，我把梨子又放回袋子裡。

放學後，

班傑明跟我一起走路回家。

他要到家裡來玩。

快到家的時候，

我突然想起那顆梨子，

又想到了爸爸。

「茉伊拉啊，一定要吃水果喔！

維他命是妳最好的朋友！」

爸爸要是看到梨子還在我的袋子裡，

可能會發脾氣。

你想知道我做了什麼事嗎？

我趕快拿出梨子，丟進垃圾桶。

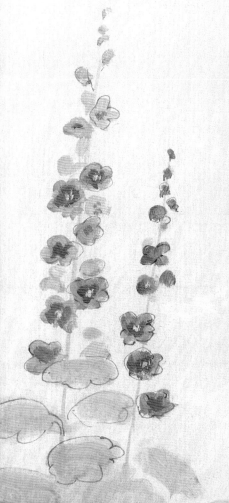

我們走進家門的時候，
爸爸問：「今天過得怎樣啊，甜心？」
我差點張開嘴巴，
跟爸爸講褲襪和梨子的事情。
就在這時，我聽到班傑明的叫聲：
「茉伊拉，快過來，
我有個很棒的點子！」

我又把那些小祕密
吞回肚子裡。
反正肚子的空間還很大，
下次再跟爸爸說好了。

「我們結婚吧？」
班傑明興致勃勃的問，
「我穿妳爸爸的西裝，
妳穿妳媽媽的禮服。」
我歡天喜地，馬上大喊：
「我願意、我願意、我願意！」

不用說，
禮服對我來說一定是太大，
裙擺好長好長啊！
可是，啊，我看起來好漂亮！
班傑明穿著太大的西裝，看起來有點像企鵝。
舉行婚禮的時候，我突然好——想尿尿。

我拔腿就跑，
跌跌撞撞衝進浴室，
一屁股坐在馬桶上。

噗

嘶

嘶……

哎唷，好多尿喔！

糟糕！

我站起來才發現

我把禮服的裙擺尿濕了。 糟糕了。

我很慌張， 趕緊脫下禮服， 掛回衣櫥裡，

然後叫班傑明快回家。

婚禮就這麼結束了。

媽媽下班回來，
親親我，給我一個擁抱。
「回到家真好。」她說，
「再十五分鐘，就可以吃晚飯嘍！」
我好想告訴媽媽，可是我不敢。
把禮服弄髒，真是太糟糕了！
媽媽一定很傷心，
而且我覺得自己有點丟臉。
於是，我把第三個祕密也吞進肚子裡。
我覺得肚子就快爆滿了。

晚餐時，好慘！
我只喝得下湯，完全吞不下肉。
我嚼啊嚼個不停：

嘎嘰

嘎嘰……

那些話語塞住了我的喉嚨，
祕密填滿了我的肚子。
我偷偷把食物
拿給小狗蘇洛和史普林特吃。
我連碰都沒碰點心。
晚餐後，我直接回房間。

我傷心的坐在床上，
覺得很不舒服，
肚子又隱隱作痛，
我不知道該怎麼辦。

砰砰砰。

咚咚咚。

爸爸媽媽上樓來。
「寶貝，妳到底怎麼了？
跟我們說說嘛！」
媽媽貼心又溫柔的把手搭在我的肚子上。
就在那時候，我再也藏不住我的小祕密了。
它們一股腦兒全都跑了出來。

我把褲襪拉出一個破洞，

又把梨子丟進垃圾桶，

還不小心把媽媽的結婚禮服的裙襬尿溼了，

而且偷偷把很難咬的肉拿去餵蘇洛和史普林特……

「嗯，全部說出來以後，
一定大大鬆了口氣吧，小姑娘。」
媽媽說。

爸爸摟著我，說：「甜心啊，
妳有任何事都可以告訴我們，
永遠都可以喔，知道吧！
有時候我們會有點生氣，
或是有點傷心，
可是，我們永遠都愛妳。」

「妳知道嗎？」媽媽說，
「要是妳挺著裝滿祕密的肚子走來走去，
我們才真的會很傷心喔！」
媽媽貼心的對我眨眨眼睛，
爸爸給了我一個大大的吻。
等我的眼淚都乾了，
祕密也跟著消失不見了。
「肚子裡還有空位
裝好吃的點心吧？」媽媽說。

你知道嗎？
那是我自懂事以來，
吃過最棒的點心了！

【關於作者】
皮姆・凡赫斯特（Pimm van Hest）

　　1975 年 8 月 25 日生於荷蘭的維荷芬市。18 歲高中畢業之後，接受教師培訓，準備成為國小老師。當了老師一年之後，他回學校專攻心理學。在那段期間，也就是 2008 年，他認識了目前的伴侶，兩人共同領養了一個美麗的女兒。她叫茉伊拉，是他們生活中的陽光。

　　因為市面上幾乎沒什麼談領養的書籍，所以皮姆決定自己動手寫一本—— 2009 年《蘿西塔》（Rosita）出版了。新書發表會期間，茉伊拉就坐在他的懷裡見證了整個過程。當時透過出版公司克雷維斯的介紹，找到插畫家妮可・塔斯瑪來替皮姆的這本書畫插圖。從此開啟了兩人一段非常特別又讓人窩心的友誼。之後，皮姆跟妮可陸續合作了三本書，第四本很快就要出版。在童書的創作上，皮姆喜歡處理基本跟敏感的主題。再由妮可用情感充沛、美麗又驚奇的繪畫方式，在紙張上將這些主題賦予生命。

　　皮姆的作品被譯成多國語言，有英文、韓文、泰文、義大利文跟丹麥文。空閒的時候，皮姆喜歡閱讀、看電影，也喜歡跟他的伴侶、女兒茉伊拉還有兩隻頑皮的小狗蘇洛、史普林特，一起出門去散長長的步。他好愛好愛他的家人！

　　皮姆的網站：http://www.pimmvanhest.nl

【關於繪者】
妮可・塔斯瑪（Nynke Talsma）

　　1975 年出生於荷蘭的戴夫賽爾市。她在葛洛寧恩省長大，那裡的風景一望無際，綠意盎然、水波蕩漾，房子少之又少。也許那就是為什麼她會在大部分作品裡，使用「留白」的技巧。18 歲之後，妮可搬到坎本，開始到藝術學院唸書。畢業之後，她搬到鹿特丹，開始以插畫為業。

　　從那之後，妮可為很多童書（以及教育類書籍）繪製插圖，合作的對象有荷蘭國內也有國際的出版公司。

　　她的作品被翻譯成很多語言，有英文、中文、西班牙文、義大利文跟丹麥文。她在家工作，用的繪畫媒材大多是水彩、鉛筆與墨水，也用蝕刻、麻膠版畫和拼貼。妮可現在和先生還有三個美麗的孩子住在阿培爾頓市。

　　妮可的網站：http://www.nynketalsma.nl